Best of Beethoven

30 Famous Pieces for Piano
30 bekannte Stücke für Klavier
30 pièces célèbres pour piano

(leicht bis mittelschwer / easy to intermediate / facile à difficulté moyenne)

Edited by / Herausgegeben von / Edité par
Hans-Günter Heumann

ED 23201
ISMN 979-0-001-20887-1
ISBN 978-3-7957-1911-1

Cover:
Busto BEETHOVEN
© Egregia di A. Giannelli Srl

www.schott-music.com

Mainz · London · Madrid · Paris · New York · Tokyo · Beijing
© 2019 Schott Music GmbH & Co. KG, Mainz · Printed in Germany

Inhalt / Contents / Sommaire

Original-Klavierstücke / Original Piano Pieces / Pièces de Piano originales

Bearbeitungen / Arrangements

Deutscher Tanz B-Dur

German Dance Bb major / Danse Allemande Si bémol majeur
WoO 13/6

Ludwig van Beethoven
1770–1827

Fine

D.C. al Fine

Deutscher Tanz Es-Dur

German Dance E♭ major / Danse Allemande Mi bémol majeur
WoO 13/9

Ludwig van Beethoven

Fine

Trio

D.C. al Fine

Ecossaise
G-Dur / G major / Sol majeur

Ludwig van Beethoven

Deutscher Tanz A-Dur
German Dance A major / Danse Allemande La majeur
WoO 42/4

Ludwig van Beethoven

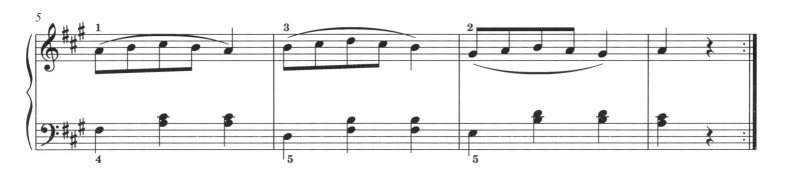

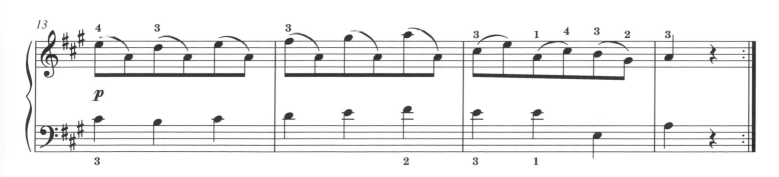

Deutscher Tanz A-Dur
German Dance A major / Danse Allemande La majeur
WoO 81

Ludwig van Beethoven

Fine

D. C. al Fine

Sonatine G-Dur
Sonatina G major / Sonatine Sol majeur
WoO Anh. 5/1

Ludwig van Beethoven

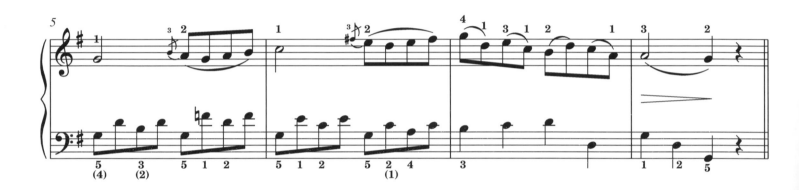

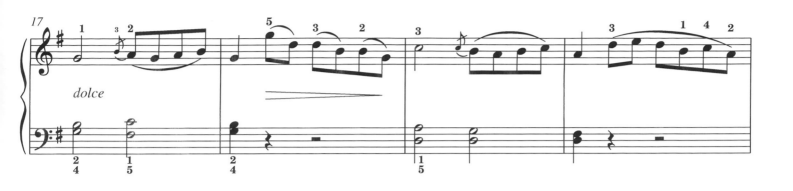

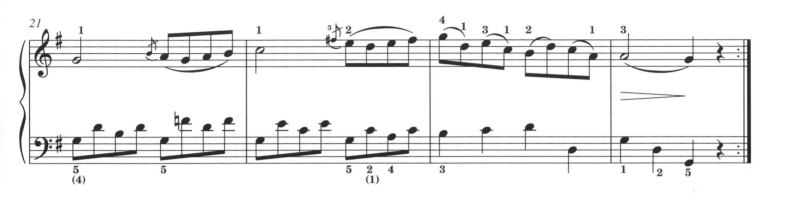

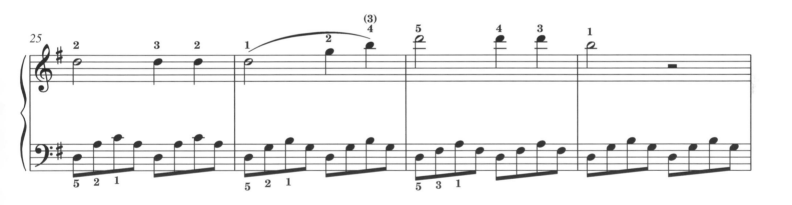

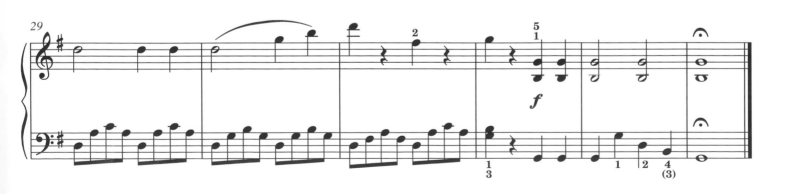

Romanze ♩. = 72 – 76

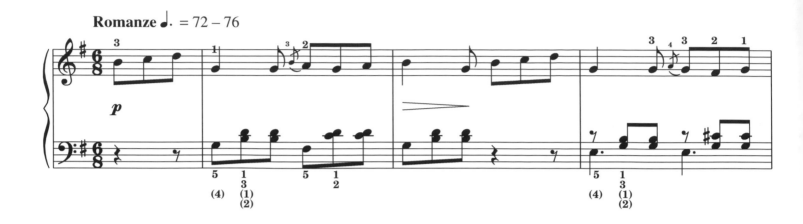

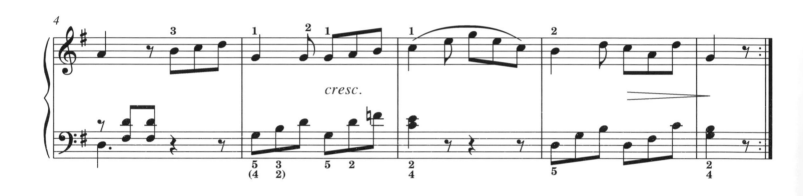

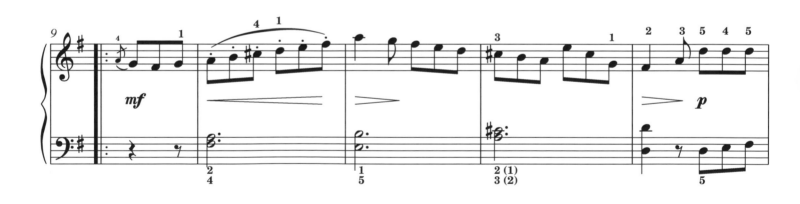

Sonatine F-Dur
Sonatina F major / Sonatina Fa majeur
WoO Anh. 5/2

Ludwig van Beethoven

Rondo

Ecossaise

Es-Dur / E♭ major / Mi bémol majeur
WoO 86

Ludwig van Beethoven

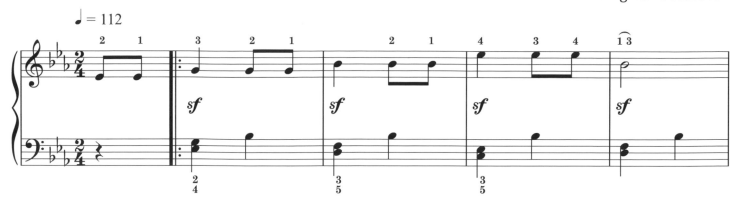

Menuett G-Dur

Minuet G major / Menuet Sol majeur
WoO 10/2

Ludwig van Beethoven

Fine

D.C. al Fine

Lustig – Traurig
Happy – Sad / Joyeux – Triste
WoO 54

Ludwig van Beethoven

Lustig (maggiore) ♪ = 160

Fine

Traurig (minore)

D.C. al Fine

Leichte Sonate G-Dur
Easy Sonata G major / Sonate facile Sol majeur
op. 49/2

Ludwig van Beethoven

Allegro, ma non troppo ♩ = 126

26

Tempo di Menuetto ♩ = 104

Bagatelle
g-Moll / G minor / Sol mineur
op. 119/1

Ludwig van Beethoven

Bagatelle

a-Moll / A minor / La mineur
op. 119/9

Ludwig van Beethoven

Sechs Ecossaisen / Six Ecossaises

Es-Dur / E♭ major / Mi bémol majeur
WoO 83

Ludwig van Beethoven

Für Elise
WoO 59

Ludwig van Beethoven

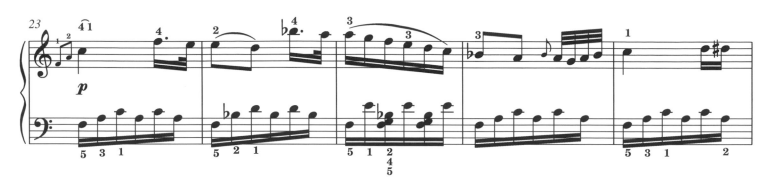

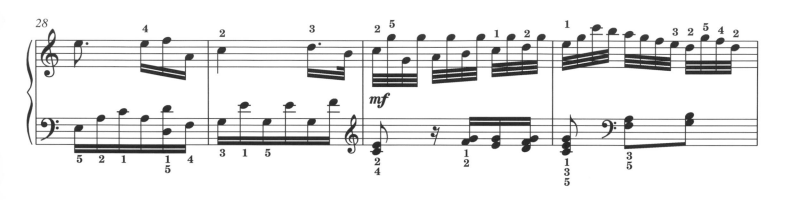

Pathétique

Klaviersonate c-Moll op. 13, 2. Satz
Piano Sonata C minor Op. 13, 2nd movement
Sonate pour Piano Ut mineur Op. 13, 2ème mouvement

Ludwig van Beethoven

Mondscheinsonate
Moonlight Sonata / Sonate au Clair de lune

Klaviersonate cis-Moll op. 27/2, 1. Satz
Piano Sonata C sharp minor Op. 27/2, 1st movement
Sonate pour Piano Ut dièse mineur Op. 27/2, 1er mouvement

Ludwig van Beethoven

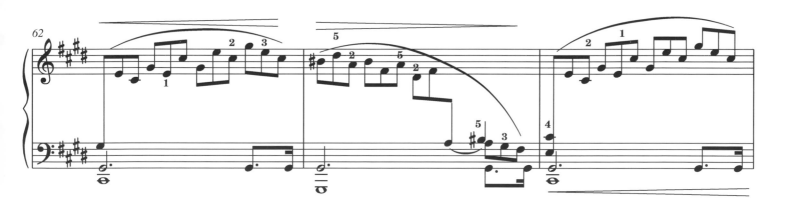

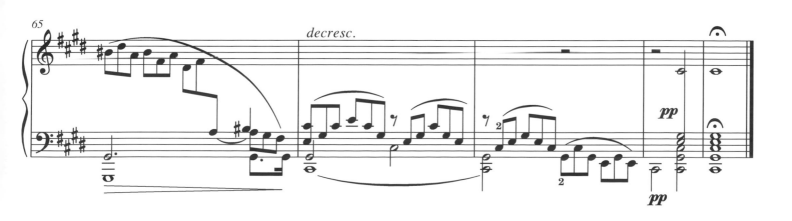

Rondo C-Dur
Rondo C major / Rondeau Ut majeur
op. 51/1

Ludwig van Beethoven

Sechs Variationen / Six Variations *)

G-Dur / G major / Sol majeur
WoO 70

Thema / Theme / Thème

Ludwig van Beethoven

*) über / on / sur „Nel cor più non mi sento", aus der Oper / from the Opera / de l'Opéra
„La Molinara" von / by / de Giovanni Paisiello (1740–1816)

Var. I

Var. II

Var. III

Var. VI

Die Wut über den verlorenen Groschen

Rage over a lost penny / Colère pour un sou perdu

Rondo a capriccio op. 129

Ludwig van Beethoven

Violinsonate Nr. 5 F-Dur „Frühlingssonate"

Violin Sonata No. 5 F major "Spring Sonata"

Sonate pour Violon et Piano N° 5 Fa majeur "Le Printemps" op. 24

1. Satz / 1st movement / 1er mouvement

Ludwig van Beethoven
Arr.: Hans-Günter Heumann

Sinfonie Nr. 3 Es-Dur „Eroica"

Symphony No. 3 E♭ major "Sinfonia Eroica"

Symphonie N° 3 Mi bémol majeur "Héroïque" op. 55

2. Satz / 2nd movement / 2ème mouvement

Ludwig van Beethoven
Arr.: Hans-Günter Heumann

Sinfonie Nr. 5 c-Moll
Symphony No. 5 C minor
Symphonie N° 5 Ut mineur op. 67

1. Satz / 1st movement / 1er mouvement

Ludwig van Beethoven
Arr.: Hans-Günter Heumann

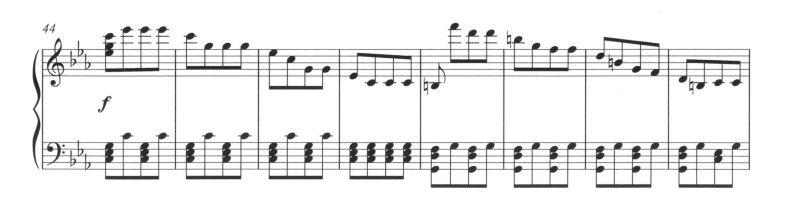

Sinfonie Nr. 7 A-Dur

Symphony No. 7 A major / Symphonie N° 7 La majeur op. 92

2. Satz / 2nd movement / 2ème mouvement

Ludwig van Beethoven
Arr.: Hans-Günter Heumann

Freude, schöner Götterfunken
Ode to Joy / Hymne à la joie

Ludwig van Beethoven
Arr.: Hans-Günter Heumann

aus / from / de: Sinfonie Nr. 9 d-Moll / Symphony No. 9 D minor / Symphonie N° 9 Ré mineur op. 125

Freu - de, schö - ner Göt - ter - fun - ken, Toch - ter aus E - ly - si - um wir be - tre - ten

mf

feu - er - trun - ken, Himm - li - sche, dein Hei - lig - tum! Dei - ne Zau - ber bin - den___ wie - der,

was die___ Mo - de streng ge - teilt. Al -   le Men - schen wer - den Brü - der,___ wo dein sanf - ter Flü - gel weilt.

f   1.

2.   Flü - gel weilt.

p

Klavierkonzert Nr. 3 c-Moll
Concerto for Piano and Orchestra No. 3 C minor
Concerto pour Piano N° 3 Ut mineur op. 37

2. Satz / 2nd movement / 2ème mouvement

Ludwig van Beethoven
Arr.: Hans-Günter Heumann

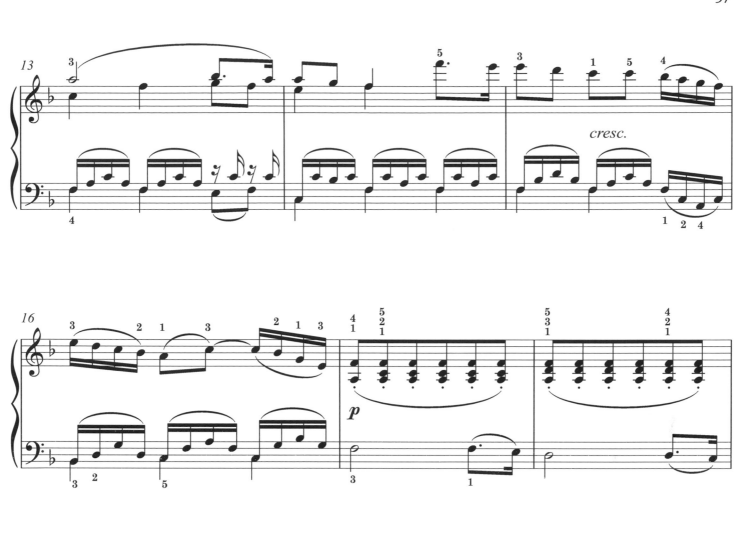

Klavierkonzert Nr. 3 c-Moll
Concerto for Piano and Orchestra No. 3 C minor
Concerto pour Piano N° 3 Ut mineur op. 37

3. Satz / 3rd movement / 3ème mouvement

Ludwig van Beethoven
Arr.: Hans-Günter Heumann

Klavierkonzert Nr. 5 Es-Dur

Concerto for Piano and Orchestra No. 5 E♭ major
Concerto pour Piano N° 5 Mi bémol majeur op. 73
2. Satz / 2nd Movement / 2ème mouvement

Ludwig van Beethoven
Arr.: Hans-Günter Heumann

Adagio un poco mosso ♩ = 44

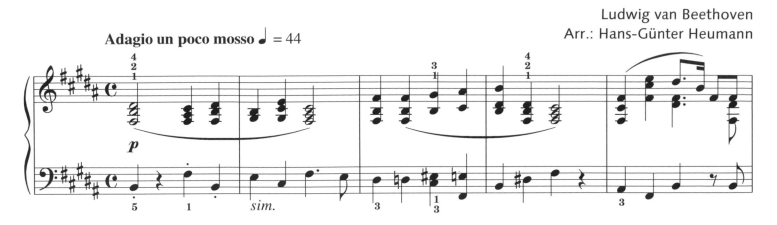

Violinkonzert D-Dur
Concerto for Violin and Orchestra D major
Concerto pour Violon Ré majeur op. 61

1. Satz / 1st movement / 1er mouvement

Ludwig van Beethoven
Arr.: Hans-Günter Heumann

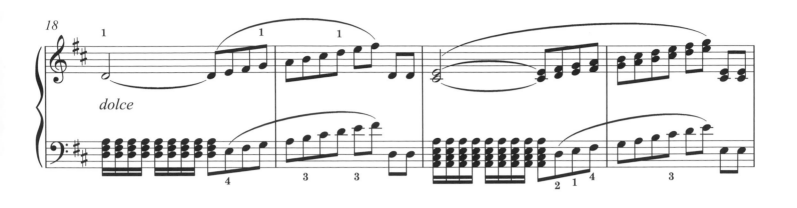

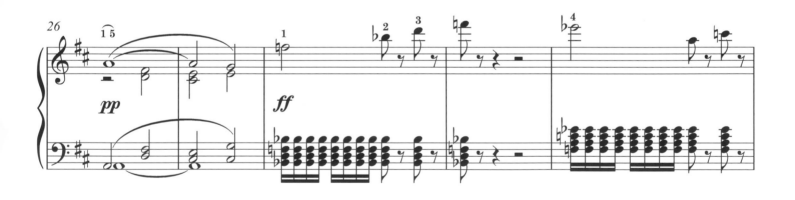

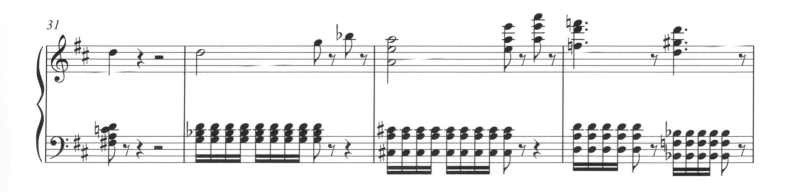

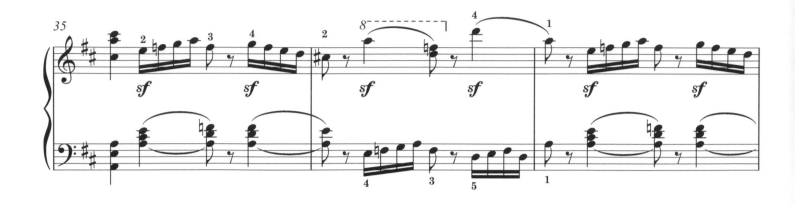

Türkischer Marsch

Turkish March / Marche turque

Ludwig van Beethoven
Arr.: Hans-Günter Heumann

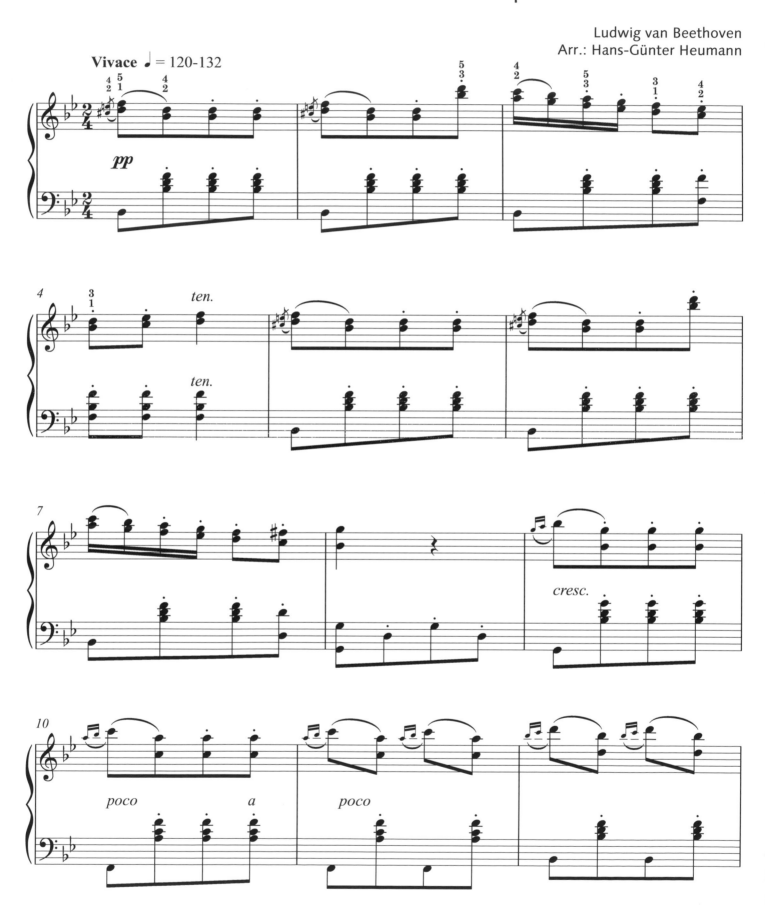

aus / from / de: Die Ruinen von Athen / The Ruins of Athens / Les Ruines d'Athènes op. 113/4

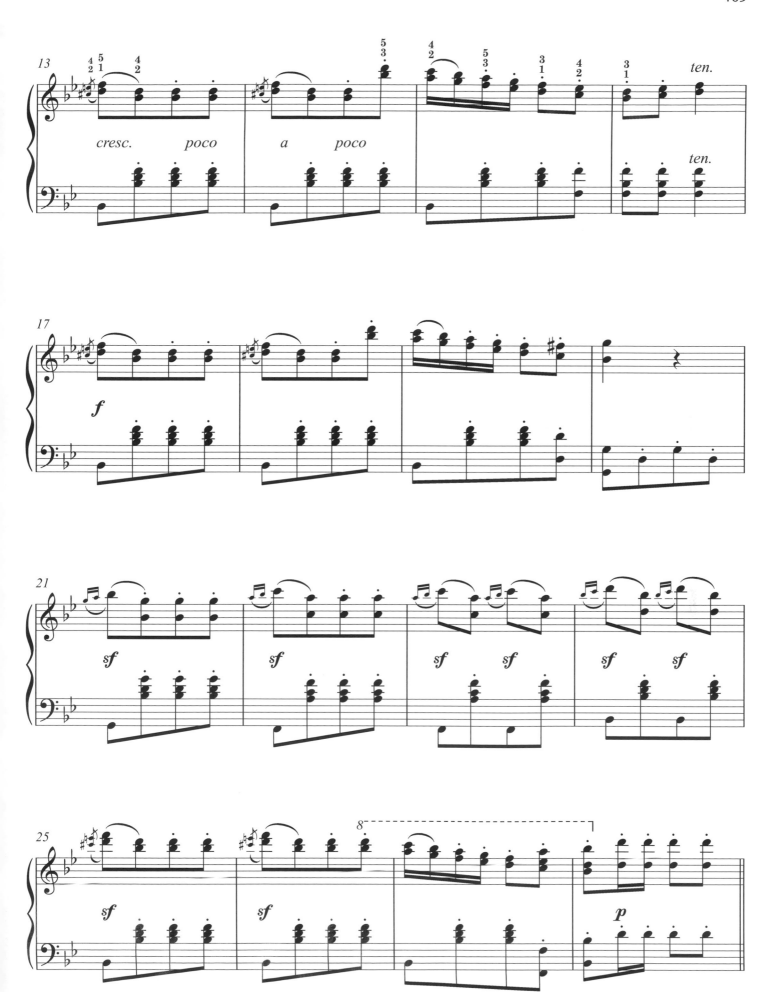

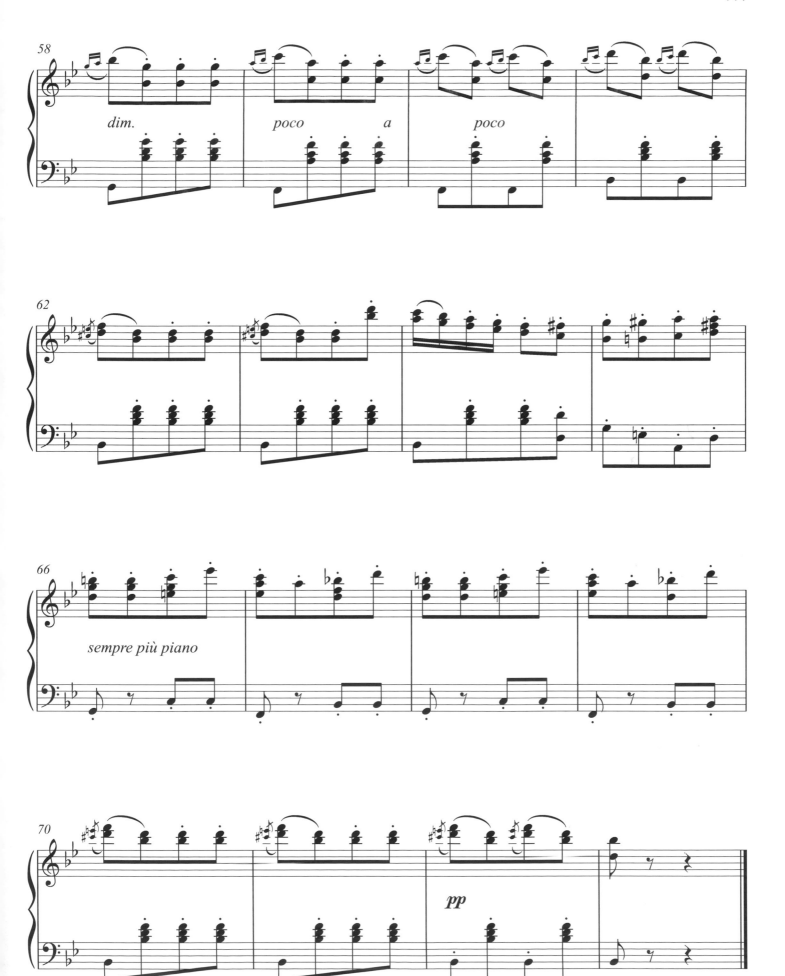

Schott Piano Classics

Klavier zweihändig
Piano solo
Piano à deux mains

Isaac Albéniz
Suite Espagnole, op. 47
ED 5068

España, op. 165
Deux danses espagnoles, op. 164
ED 9032

Johann Sebastian Bach
Berühmte Stücke
Famous Pieces · Pièces célèbres
ED 9001

Kleine Präludien
Little Preludes · Petits Préludes
ED 9003

Inventionen und Sinfonien,
BWV 772-801
Inventions and Sinfonias ·
Inventions et Sinfonies
ED 9002

Friedrich Burgmüller
25 leichte Etüden, op. 100
25 Easy Studies · 25 Etudes faciles
ED 173

12 brillante und melodische Etüden,
op. 105
12 Brilliant and Melodious Studies ·
12 Etudes brillantes et mélodiques
ED 174

18 Etüden, op. 109
18 Studies · 18 Etudes
ED 175

Frédéric Chopin
20 Ausgewählte Mazurken
20 Selected Mazurkas ·
20 Mazurkas choisies
ED 9022

Carl Czerny
6 leichte Sonatinen, op. 163
6 Easy Sonatinas · 6 Sonates faciles
ED 9035

160 achttaktige Übungen, op. 821
160 Eight-bar Exercises ·
160 Exercices à huit mesures
ED 8934

Claude Debussy
Berühmte Klavierstücke I
Famous Piano Pieces I · Pièces célèbres
pour piano I
ED 9034

Berühmte Klavierstücke II
Famous Piano Pieces II · Pièces célè-
bres pour piano II
ED 9037

Emotionen
Emotions
35 Originalwerke · 35 Original Pieces ·
35 Œuvres originales
ED 9045

Edvard Grieg
Lyrische Stücke, op. 12, 38, 43
Lyric Pieces · Morceaux lyriques
ED 9011

Peer Gynt
Suiten Nr. 1 und 2, op. 46 und 55
Suites No. 1 + 2
ED 9033

Joseph Haydn
10 leichte Sonaten
10 Easy Sonatas · 10 Sonates faciles
ED 9026

Impressionismus
Impressionism · Impressionisme
21 Klavierstücke rund um Debussy ·
21 Piano Pieces around Debussy ·
21 Morceaux pour piano autour
de Debussy
ED 9042

Scott Joplin
6 Ragtimes
Mit der „Ragtime-Schule" von · with
the 'School of Ragtime' by · avec la
'Méthode du Ragtime' de Scott Joplin
ED 9014

Fritz Kreisler
Alt-Wiener Tanzweisen
Old Viennese Dance Tunes ·
Vieux airs de danse viennois
Liebesfreud – Liebesleid – Schön
Rosmarin
ED 9025

8 leichte Sonatinen
von Clementi bis Beethoven
8 Easy Sonatinas from Clementi
to Beethoven · 8 Sonatines faciles
de Clementi à Beethoven
mit · with · avec CD
ED 9040

Franz Liszt
Albumblätter und kleine
Klavierstücke
Album Leaves and Short Piano Pieces ·
Feuilles d'album et courtes pièces pour
piano
ED 9054

Felix Mendelssohn Bartholdy
Lieder ohne Worte
Songs Without Words ·
Chansons sans paroles ·
Auswahl für den Klavierunterricht ·
Selection for piano lessons ·
Sélection pour le cours de piano
ED 9012

Leopold Mozart
Notenbuch für Nannerl
Notebook for Nannerl ·
Cahier de musique pour Nannerl
ED 9006

Wolfgang Amadeus Mozart
Der junge Mozart
The Young Mozart · Le jeune Mozart
ED 9008

Eine kleine Nachtmusik
Little Night Music ·
Petite musique de nuit
ED 1630

6 Wiener Sonatinen
6 Viennese Sonatinas ·
6 Sonatines viennoises
ED 9021

Musik aus früher Zeit
Music of Ancient Times ·
Musique du temps ancien
ED 9005

Modest Moussorgsky
Bilder einer Ausstellung
Pictures at an Exhibition ·
Tableaux d'une exposition
ED 525

Nacht und Träume
Night and Dreams · Nuit et songes
36 Originalwerke für Klavier ·
36 Original Piano Pieces · 36 Morceaux
originaux pour piano
ED 9048

Piano Classics
Beliebte Stücke von Bach bis Satie
Favourite Pieces from Bach to Satie ·
Pièces celebre de Bach à Satie
mit · with · avec CD
ED 9036

Piano facile
30 leichte Stücke von Bach
bis Gretchaninoff
30 Easy Pieces from Bach to
Gretchaninoff · 30 Pièces faciles
de Bach à Gretchaninov
mit · with · avec CD
ED 9041

Programmmusik
Programme Music ·
Musique à programme
40 Originalwerke · 40 Original Pieces ·
40 Morceaux originaux
ED 9043

Reisebilder
Travel Pictures · Tableaux de voyage
37 Originalstücke · 37 Original Pieces ·
37 Morceaux originaux
ED 9044

Erik Satie
Klavierwerke I
Piano Works I · Œuvres pour piano I
ED 9013

Klavierwerke II
Piano Works II · Œuvres pour piano II
ED 9016

Klavierwerke III
Piano Works III · Œuvres pour piano III
ED 9028

Domenico Scarlatti
Berühmte Klavierstücke
Famous Piano Pieces ·
Compositions célèbres pour piano
ED 9038

Robert Schumann
Album für die Jugend, op. 68
Album for the Young ·
Album pour la jeunesse
ED 9010

Bedrich Smetana
Die Moldau
Vltava · La Moldau
ED 4345

Spielsachen
44 leichte Originalwerke · 44 Easy
Original Pieces · 44 Morceaux
originaux faciles
ED 9055

Georg Philipp Telemann
12 kleine Fantasien
12 Little Fantasias · 12 Petites Fantaisies
ED 2330

Leichte Fugen mit kleinen Stücken,
TWV 30: 21-26
Easy Fugues with little Pieces ·
Fugues légères et petits jeux
ED 9015

Tempo! Tempo!
40 Originalwerke · 40 Original
Pieces · 40 Morceaux originaux
ED 9049

Peter Tschaikowsky
Die Jahreszeiten, op. 37bis
The Seasons · Les Saisons
ED 20094

Nussknacker Suite, op. 71a
Nutcracker Suite ·
Suite Casse-Noisette
ED 2394

Wasser
25 Originalkompositionen · 25
Original Pieces · 25 Morceaux
originaux
ED 22276

www.schott-music.com